D0833603

© TWIN BOOKS 1990
© Editions Phidal pour le Canada
Tous droits réservés
ISBN 2-89393-092-3
Imprimé en Espagne

LA BELLE ET LA BETE

raconté par
MICHEL MANIÈRE

illustrations
ANDRE VAN GOOL, MICHEL LOISEUX, ANNE MARIE LEFEVRE

TWIN BOOKS

Phidal

Il était une fois
un riche marchand
qui avait six enfants :
trois garçons
et trois filles.
La plus jolie des filles
était aussi
la plus gentille.
Quand son père fut ruiné,
elle fit tout
pour l'aider
et pour le consoler,
travaillant de bon cœur
malgré les rires moqueurs
de ses chipies de sœurs.

Leur père,
pendant ce temps,
va trouver des banquiers.
Mais comme il est ruiné,
ces messieurs distingués
refusent tous poliment
de lui prêter
de l'argent.
Alors il s'en retourne,
à cheval, tristement...

Or, tandis que la nuit descend
sur la forêt, il se met à neiger.
Le cheval aveuglé ne peut plus
avancer. Et déjà le marchand assailli
par le froid voit la mort arriver...

Il pense à ses enfants,
plus particulièrement à sa fille
préférée : celle qu'il appelle
« la Belle », dans son cœur en secret.
Et, doucement, il commence à pleurer.
Mais soudain, dans le ciel, apparaît
un lutin, un drôle de ver luisant
qui ne dit pas un mot, mais le mène
en volant aux portes d'un château...

Curieux château.
Bien qu'il semble désert
et le lieu de rencontre
de tous les courants d'air,
un grand feu accueillant brûle
dans la cheminée.
Et le marchand gelé ne se fait pas
prier quand le lutin l'invite
à venir s'y chauffer.

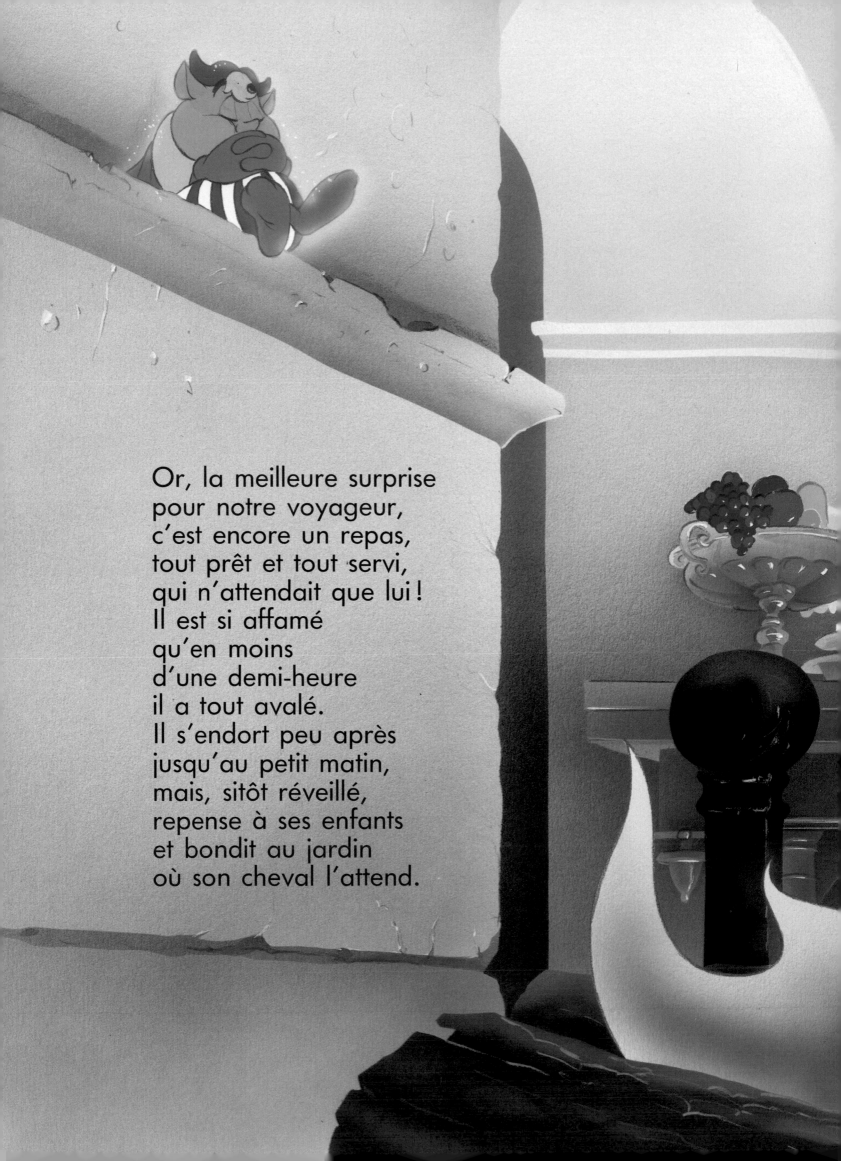

Or, la meilleure surprise
pour notre voyageur,
c'est encore un repas,
tout prêt et tout servi,
qui n'attendait que lui !
Il est si affamé
qu'en moins
d'une demi-heure
il a tout avalé.
Il s'endort peu après
jusqu'au petit matin,
mais, sitôt réveillé,
repense à ses enfants
et bondit au jardin
où son cheval l'attend.

Apercevant des roses, il en cueille en passant.
Or, qui surgit au même instant? Le maître du château !
C'est un monstre effrayant... surtout quand il s'énerve :

— Je t'ai sauvé la vie en t'offrant
un abri, hurle-t-il en furie,
et pour me remercier, tu abîmes
mes rosiers ! Tu vas me le payer !
— Pitié ! crie le marchand. C'était
pour faire plaisir à ma fille adorée !
— Si ta fille aime les roses,
dit l'autre en se calmant, cela peut
s'arranger. Mais à une condition :
va vite me la chercher !

Tandis que le marchand regagne
sa maison, il n'a évidemment
pas la moindre intention de sacrifier
sa fille. Ce qu'il veut simplement,
c'est revoir ses enfants,
puis retourner sagement subir
son châtiment. Mais la Belle
s'y oppose : — C'est pour me faire
plaisir que tu as pris ces roses,
c'est moi qui dois partir !
Jalouses comme elles sont, ses sœurs
ne disent pas non !

Quant à son père, il a beau faire,
la Belle est bien trop fière
et bien trop décidée
pour qu'il puisse l'arrêter.
Enfourchant son cheval,
elle s'éloigne au galop...

Elle ne met pied à terre
qu'une fois arrivée
aux portes du château.

Elle s'étonne comme son père
en voyant le lutin lui montrer
le chemin : — Par ici, mademoiselle !
semblent lui dire ses ailes
dans leur langage à elles.
Et, bien qu'elle ait très peur,
elle entre avec courage
dans la sombre demeure...

Quelle n'est pas
sa stupeur
quand le lutin la mène
dans une chambre à coucher
aménagée pour elle :
un lit à baldaquin,
des fauteuils,
des coussins, des fruits
dans une corbeille,
rien ne manque au décor.
Il y a même des colliers
dans une coupe en or,
et des boucles d'oreilles !
Mais la plus fantastique
de toutes ces merveilles
est un miroir magique...

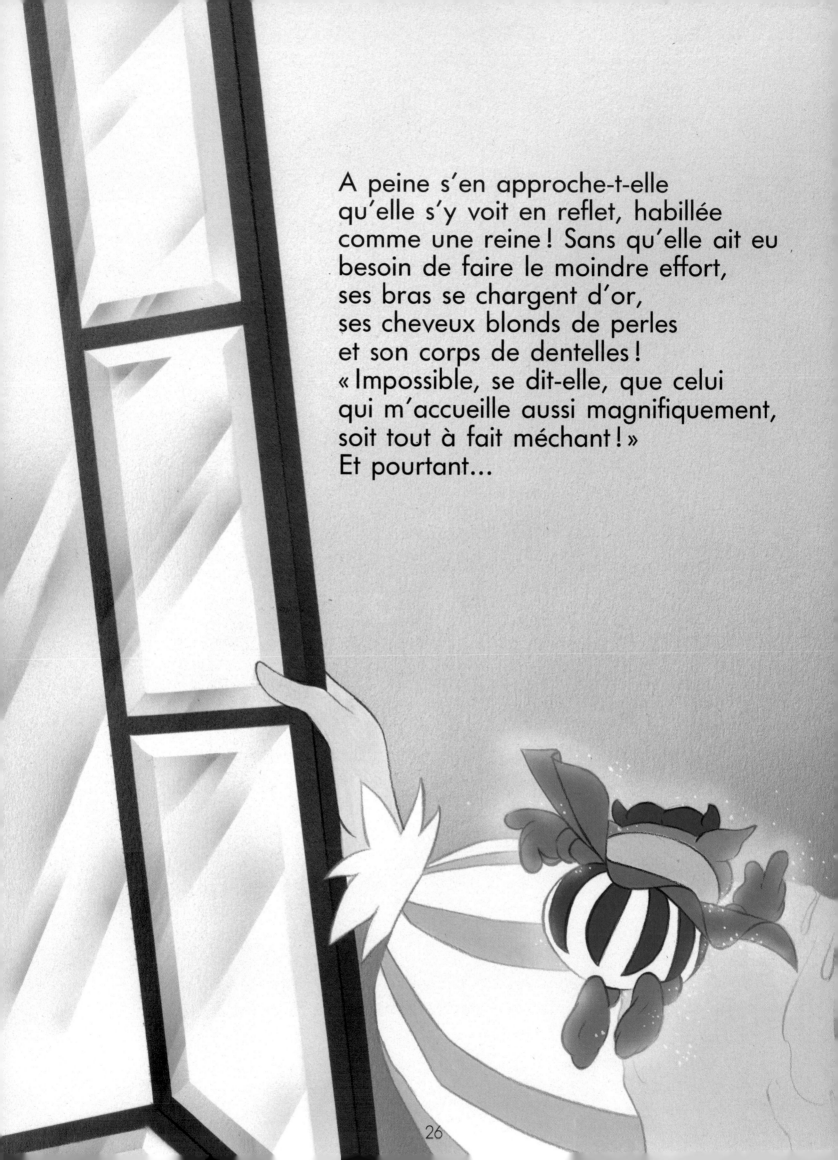

A peine s'en approche-t-elle
qu'elle s'y voit en reflet, habillée
comme une reine ! Sans qu'elle ait eu
besoin de faire le moindre effort,
ses bras se chargent d'or,
ses cheveux blonds de perles
et son corps de dentelles !
« Impossible, se dit-elle, que celui
qui m'accueille aussi magnifiquement,
soit tout à fait méchant ! »
Et pourtant...

Son père n'a pas menti : c'est un être effrayant !
Elle pousse un cri en le voyant. Celui-ci, cependant,
tâche de la rassurer : — Je ne vous veux aucun mal,
lui dit-il gentiment, croyez-moi, j'ai bon cœur...
— Je vous crois, dit la Belle, mais vous êtes
tellement laid que vous m'avez fait peur !
Au lieu de se fâcher, le monstre est si touché
par sa sincérité qu'il l'invite à dîner.

— Les gens sont des flatteurs,
explique-t-il tristement.
Ils m'appellent « Mon Seigneur »
parce que je leur fais peur,
mais se sauvent en courant
quand j'ai le dos tourné ! Vous seule
avez osé me dire la vérité !
Voulez-vous m'épouser ?
La Belle, interloquée, manque de
s'étouffer. Puis, retrouvant sa voix :
— Non, la Bête, répond-elle,
car ce serait mentir de vous dire
« Je vous aime ». Le monstre a
de la peine, mais il n'insiste pas.

Pourtant, le lendemain, il refait sa dèmande.
Mais la Belle, à nouveau, lui refuse sa main.
Chaque soir, il recommence : hélas, toujours en vain !
Et lorsqu'un jour la Belle vient d'elle-même le trouver,
c'est pour lui demander de la laisser partir :
elle a vu, dans un songe, son père qui va mourir !
— Va, lui dit-il, mais promets-moi de revenir !

Dès que le brave marchand revoit
sa fille chérie, finie la maladie!
Là où l'art des médecins ne servait
plus à rien, un seul baiser suffit
à le rendre à la vie!
Et le reste du jour se passe
en réjouissances. On chante, on rit,
on danse, pour fêter le retour
de celle qu'on croyait morte
et perdue pour toujours.

Après une telle journée, la Belle n'est pas fâchée
de pouvoir se coucher. Mais à peine s'endort-elle
que le lutin volant surgit dans son sommeil.
Par un tour de magie, il lui fait voir son maître,
et combien il s'ennuie, tout seul dans son château.
Alors elle se rappelle la promesse qu'elle a faite
et décide de partir le lendemain très tôt...

Mais, quand ses sœurs l'apprennent, elle s'écrient
en pleurant :
— Ne t'en va pas, sœurette, nous aurions trop de peine !
Bien sûr, elles font semblant. Ce qu'elles désirent,
en fait, c'est retenir la Belle pour attirer sur elle
la colère de la Bête. « Si elle se croit trahie,
elle voudra se venger, pensent les deux chipies,
et notre petite sœur finira dévorée ! Nous serons
bien débarrassées ! »

La Belle s'est laissé faire. Mais,
un soir, trop inquiète, elle quitte
enfin son père pour rejoindre la Bête.

Comme le parc a changé ! Tout y est désolé : les feuilles
des arbres à terre et les belles fleurs fanées !
Que s'est-il donc passé ? Le lutin mène la Belle
au pied d'un escalier où son maître est couché.
Il est pâle à faire peur ! Alors la Belle comprend
que tout est de sa faute ! Oubliant pour une fois
la laideur de la Bête, elle tombe sur le gazon
et la serre sur son cœur en lui criant : — Pardon !

Dans le parc, aussitôt,
revoilà le printemps !
Mais le plus merveilleux
c'est qu'au même moment
le monstre repoussant
se change
en Prince Charmant !
Les yeux pleins de douceur
et la main sur le cœur,
il demande tendrement :
— Voulez-vous m'épouser,
maintenant ?...

La Belle répondit oui, évidemment ! Et c'est ainsi
qu'on vit des milliers d'invités accourir au château
pour fêter l'événement. Le plus heureux de tous,
et le plus fier aussi, c'était le vieux marchand :
avec un prince pour gendre, plus de problèmes d'argent.
Mais ce qui le comblait plus que toutes les richesses,
c'était d'avoir une fille qu'on appelait « Princesse » !